郑栗儿/著

果祥/绘

大师密码 A-Z系列

大师密码Q

不怕鬼的石头

U0961333

人民东方出版传媒
People's Oriental Publishing & Media
東方出版社
The Oriental Press

图书在版编目（CIP）数据

大师密码．Q，不怕鬼的石头 / 郑栗儿著；果祥绘．—北京：东方出版社，2015.11

ISBN 978-7-5060-8741-4

Ⅰ．①大…　Ⅱ．①郑…②果…　Ⅲ．①儿童故事—作品集—中国—当代　Ⅳ．①I287.5

中国版本图书馆 CIP 数据核字（2015）第 267122 号

大师密码 Q：不怕鬼的石头
（DASHI MIMA Q: BUPAGUI DE SHITOU）

作　　者：郑栗儿
绘　　者：果　祥
产品经理：张媛媛
责任编辑：张媛媛
出　　版：东方出版社
发　　行：人民东方出版传媒有限公司
地　　址：北京市东城区朝阳门内大街 166 号
邮政编码：100706
印　　刷：小森印刷（北京）有限公司
版　　次：2016 年 3 月第 1 版
印　　次：2016 年 3 月第 1 次印刷
印　　数：1—5 000 册
开　　本：720 毫米 ×950 毫米 1/16
印　　张：4.75
字　　数：45 千字
书　　号：ISBN 978-7-5060-8741-4
定　　价：18.00 元
发行电话：（010）64258117 64258115 64258112

目 录

出版前言

每个父母都希望孩子未来能出类拔萃，并在孩子的教育问题上倾尽心力。

许多孩子长大后成熟乐观，在社会上如鱼得水，但不少人成年后并不快乐。他们即使地位显赫、经济条件优越，依然郁郁寡欢。带来快乐的因素有很多，其中起决定作用的则是人格。面对同样的问题，不同的人格往往造就不同的结果。

怎样才能培养健全的人格？我们不妨到传统文化中去寻找答案。几千年来，儒、道、佛相得益彰，共同塑造着国人的精神世界。儒家关切社会的治理，道家关怀生命自然状态的保持，而佛家则关心人生痛苦的解除。故此，历史上就有“儒家治世、道家治身、佛家治心”的说法。

今天很多人习惯于将佛教简单理解为一种宗教，有的人甚至认为它是封建迷信。如果去掉宗教的外衣，它其实是一座充满智慧，兼具心理、品德教育功能的文化宝库。

为此，我们从台湾引进了这套“大师密码”A–Z 系列。这套书以 130 个佛教大师的成长故事，体现了 130 个美好的人格特质。沉着、孝顺、无畏、远见……从这些有趣的故事里，孩子们不但可以学会如何获得成功，更能明白如何倾听内心的声音，获得快乐。

这套书结构编排巧妙，集合了台湾优秀的作家及插画师。书中故事生动活泼，插画精美，在台湾广受好评，曾获得台湾“第 27 次中小学生优良课外读物推介”。相信它同样会得到大陆青少年朋友的喜爱。

大师的密码　成功的特质

在我还是青少年时，就很喜欢阅读佛教大师的传记故事。可以说，我的人格就是从阅读大师的史传故事，点点滴滴建立起来的。

不论大人、小孩都喜欢读故事，法鼓文化历时两年的筹备，制作了这套有丰富精美插画的“大师密码”A–Z 系列。这套书中，选出 130 个“大师的美好特质”，一个特质就是一个大师故事，让孩子在趣味的故事中自然吸收大师的养分。

我曾指出佛教的高僧必须具有四大条件：持戒清净、修行精进、慈悲济众与护持佛法；如果转换成现代人的语汇，就是自律、认真、宽大、懂得回馈，而这些正是所有成功人士必备的条件。

很多家长以为孩子学佛会变得消极、不具竞争力；如果从大师的四大条件来看，这样的想法完全错误！孩子接触佛法绝对会更积极、健康，能为他们的一生奠定稳固的基础。

大师们的成就绝非偶然，也没有人一出生就是大师，父母应该提供这样的环境，让人格正在成长形塑中的孩子，吸收历代大师们的生命菁华，转化为他们自己的。我相信这一套“大师密码”A–Z 系列，能够成为孩子们成长的助缘！

聖嚴

台湾法鼓山禅修文教体系创办人

我不要下地狱!

大师密码 Questing 寻求真理

日本有首民谣说，静岗有两大名产：富士山与白隐。能被公众选为“家乡名产”，可见大家是多么以白隐为荣啊！

白隐从七岁就随妈妈养成了听经的习惯，十五岁在单岭和尚门下出家。白隐喜欢吟唱诗歌，二十岁时追随外号为“美浓悍马”的马翁法师学习文学。

正受法师与白幽道人是对白隐影响最深的两位老师。要让自负的白隐服气，那可不是件容易的事。正受法师让白隐吃闭门羹，还说他是井底之蛙，白隐气得坐在门口示威。他直到开悟后，才知正受法师原来是在磨他的一身傲气。

白隐还曾因用功过度而身染怪病，幸得白幽道人传他能延寿的疗法。这位日本临济禅宗的中兴祖师，最后以八十四岁的高龄去世了。

小档案 白隐

- 国籍：日本
- 谥号：神机独妙禅师
- 专长：禅修、医疗、文学
- 影响：日本临济禅宗中兴祖师、日本禅宗公案创始者
- 事迹：遍访名师学习真理

大雪纷飞的初冬，在一间日本民宅的澡堂里，澡盆的水不一会儿就凉掉了，小孩儿忍不住“哈啾”打着喷嚏，一起洗澡的母亲赶紧唤女仆把水加热。不料滚烫的热水，反而烫得孩子哇哇大哭起来！母亲被吓了一跳，连忙把孩子抱起来：“岩次郎，烫到了吗？”

孩子只是一直哭也不回答，一路哭回房间，母亲虽然心急如焚，却安慰不了孩子。就这样一直哭到了晚上，直到哭累了，孩子才终于开口说话：“我不要下地狱[1]被火烧！妈妈，怎样才可以不下地狱？”

母亲恍然想起，前一阵子带岩次郎去寺院听法师说法，谈到了地狱的苦境。孩子回来后就很害怕，现在被热水烫了一下，又让他想起地狱，她不知道该怎样安慰孩子，只好说：“别担心，你的生日跟天神爷是同一天，只要向他祈求，神明一定会保护你的。”岩次郎听后，总算不哭了。

[1] **地狱**：为六道轮回的其中一道。因为生前造作恶业，所以死后前往地狱界。

原本以为孩子睡一觉后就会忘记这件事，没想到天刚亮，岩次郎眼睛就睁得大大的，吵着要去天神庙拜拜。他因此成为了天神爷最小的信徒，还把经典背得朗朗上口，但岩次郎小小的心灵中还是很好奇："这样真的就不会下地狱了吗？"

又过了几年，村里在祭典中举办了一场舞台剧，其中一名扮演名僧的俊美少年，手里拿着一部《法华经》❷大声说："法华行者，遇火烧不坏，入水溺不死。"少年的脸上呈现出不动如山的坚毅神情。

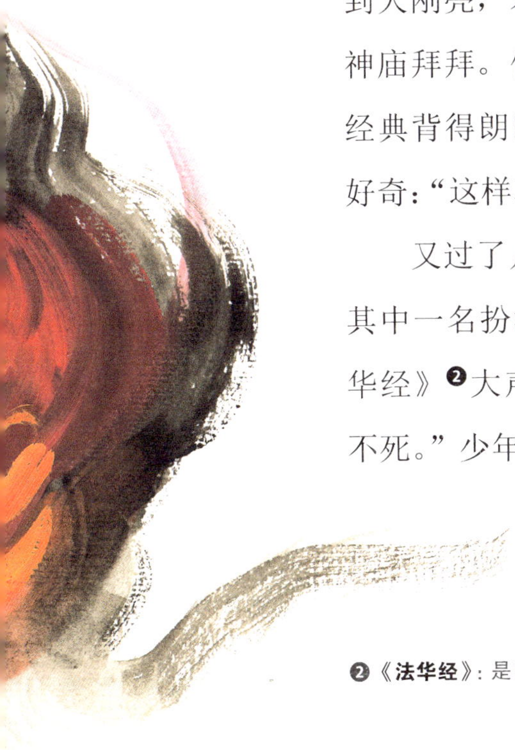

❷ **《法华经》**：是自古以来流传最广的佛经，认为一切众生都能成佛。

十五岁的岩次郎看了很感动，心想："《法华经》这么厉害？水火都不怕，那读了它是不是就可以保护自己免于一死了？"

回家后，他早晚勤诵《法华经》中的《观世音菩萨普门品》。过了几天，他把筷子用火烧得红通通的，拿来刺屁股，想试试是不是真的水火不侵。结果一刺，痛得岩次郎流出眼泪来："唉！没用！是不是应该读完整部《法华经》才有用呢？"

为了寻找不下地狱的方法，岩次郎干脆出家当了少年沙弥❸，法名白隐慧鹤，他向僧人借了一部《法华经》来读，却读不出感觉，这让他大失所望。

❸ **沙弥**：指佛教僧团中，尚未受完整戒律，年龄在七岁以上、未满二十岁的出家男子。

既然读佛典无济于事，白隐便向师父马翁和尚学习儒学诗文。可他心里还是一片茫然，不知未来何去何从。

这一天天气好极了，阳光透亮，马翁唤着徒儿：“小鹤，过来帮忙搬书啊！”

原来老和尚要晒书，白隐帮师父把书柜上的书籍全部搬到空旷的户外。

在晒书时，白隐想起一个类似占卜的游戏：“这些书籍可都是历代禅师的智慧结晶，我不如随意抽取，让它指引我的前途！”

于是，他闭上眼睛，抽到了一本《禅关策进》，打开来看，内容是描述慈明禅师为了克服睡意，半夜拿锥刺屁股的精进禅修过程。白隐想起以前为求真理，拿火筷烫屁股的往事，对于慈明的用功精神更加佩服，决定效法他拜访名师，全心修禅。

专注坐禅以寻求真理的白隐，在二十二岁那年，为了打扫母亲的坟墓，回到离开了五年的故乡，他住在松荫寺里。亲友们看到他，关切地问："这几年你都去哪里了？"

白隐礼貌地"哼嗯"答应着却不明说，这时的他，比起五年前盲目寻找真理的那个莽撞小子而言，沉稳多了，他知道很多事就算他说了，没有亲身经历过的人也没办法体会。

有天深夜，富士山附近忽然发生大地震，天摇地动，许多人从睡梦中惊醒并逃到室外，只见一排排屋宇倒塌，连松荫寺也摇摇欲坠，寺内的和尚们落荒而逃。小时候总是害怕地狱和灾难的白隐，却仍然在禅堂中安稳地打坐。

正在逃跑的和尚喊他：“小鹤，快走啊！”

白隐摇头说：“如果我有幸开悟得见真理，自然有诸佛的守护，否则被震死在废墟中，也是心甘情愿的。”面对灾祸的来临，白隐也比以前更多了一份勇气，他明白与其担心灾祸的来临而闪躲不已，不如从容地面对它。地震一直持续到天亮，白隐就这么坐到天亮，一点儿事也没有，大家都觉得这件事很奇妙。

不久，白隐到英岩寺听法禅坐，某个阴霾有雨的清晨时分，远方的钟声当当响起，一声声敲进白隐的心里：“就算在这种坏天气，美好的钟声还是会响起，幸福还是会出现。”

他忽然领悟到，过去一直寻找不下地狱的方法，原来只是一种恐惧的心理，事实上发生的任何事情，只要怀着平静的心接受结果，就不用再担心、害怕了。

于是，白隐大笑说：“哈哈哈！三百年来没有人像我这样痛快开悟的了！”

但英岩寺其他出家人中没有人明白白隐的悟境，宗格便向他建议："既然你对自己的开悟这么有把握，不如去找正受大师帮你印证，他是临济禅❹的正宗传法人。"

白隐听后，立刻出发去找正受禅师，没想到正受禅师对他的见解不以为意，只跟他说："这只是你学到的道理，把你亲自见到的吐出来而已。"

正受禅师的意思是真理不仅是学到而已，还要实际运用在生活上，但年轻气盛的白隐还不能理解这一层，只装出了呕吐的样子。正受禅师便狠狠地把他推出室外。

❹ **临济禅**：禅宗的宗派之一，临济义玄为始祖，以机锋峭峻闻名。义玄常以吆喝的方式指点人禅法，世称为"临济喝"。

白隐赌气地在寺门外打坐，准备等待机会再跟正受禅师理论一番。待了几天，肚子饿得实在难受，只好跑去街上化缘，却被一位老妇人驱赶，老妇人还拿扫把将饿得头昏眼花的白隐打倒在地。

奇怪的是，白隐醒来后，所有的烦恼念头都消失了，心中一片澄澈，好像这一扫把反而把他打醒了，这时他才真正领悟到正受禅师所说的意思。

白隐回到正受禅师那里，禅师笑着问他：“你见到没有？”

白隐点点头，这回总算得到正受禅师的印可，并得到了他的真传，最终成为日本临济禅的中兴祖师。

98

千里眼老师

大师密码

Quick-eyed 慧眼

道信生于南北朝时的陈国，幼年出家的他，一直没遇到合适的老师教导，十四岁时听说隐居皖公山的僧璨禅师是高人，便前往追随僧璨禅师学禅。

道信一生曾多次遇险，但他总能处变不惊。有一次在吉州被盗匪围城，历经七个月后，城内粮尽井枯，大家都不知所措了。道信便教大家持续诵念“摩诃般若波罗蜜”七字安心，结果盗匪见城内团结一致，如有神兵守护，便退兵离去。此外，唐太宗曾三次请道信禅师入京不成，干脆逼迫他：不答应就杀头，结果道信主动伸颈就刀，让唐太宗更加敬重他的风范。

道信禅师四十五岁时，定居在黄梅双峰寺，世称他为“双峰道信”，弘忍与法融是他门下最杰出的两大弟子。道信禅师死后，于东山黄梅寺建塔，被尊为东山法门初祖。

小档案 道信

- 国籍：中国
- 别称：双峰道信
- 专长：禅修
- 影响：中国禅宗四祖、东山法门初祖
- 事迹：能一眼看出弟子能否成大器

在南方游历了二十多年，正要前去黄梅传法的禅宗四祖道信，一路上眼皮一直不停地跳动着，好像将会发生什么大事似的。禅师揉一揉眼睛继续往前行，似乎一点儿也不担心前方会有老虎或野狼等猛兽，仍旧脚步稳健地踏入幽深的森林。

突然间，林子里发出一阵沙沙的声音，禅师停下脚步，那声音也跟着停住了，禅师再往前走，沙沙的声音又响起了。

终于，在森林的出口处，老禅师与这个奇怪的声音相遇了。

一个精灵般的小人儿，看起来不过六七岁年纪，出现在禅师面前，两人你看我，我看你，忍不住都笑了起来！

小人儿先开口说："我还以为你是一只老虎，没想到竟是个和尚！"

禅师说："我还以为你是一只老虎，没想到竟是个小男孩。"

道信接着问："你怎么自己跑到森林里，难道不怕危险吗？"

男孩天真地回答:“家里的木柴快用完了，所以我来森林帮忙捡一些，顺便可以卖给别人。”原来是附近村子的“无姓儿”。

这无姓儿从小就不知道爸爸是谁，妈妈未婚怀了他以后，被家里人认为丢了脸面，便把她赶出家门，她只好流浪到邻近的村子里，靠乞讨为生。妈妈生下他以后，母子俩就住在破旧废弃的空屋里，过着相依为命的贫苦生活。村里的人都叫这孩子“无姓儿”，无姓儿对自己的身世一点儿也不以为意，常常自告奋勇帮妈妈做家事，还帮忙捡柴去卖。

“你真懂事！”禅师点点头，又将这孩子好好地看了个仔细，相貌果然十分特别，禅师关切地又问：“你姓什么？家离这里远吗？”

男孩看禅师很和善，坦诚地回答：“我就住在前面不远的小屋子里。姓是有的，但不是一般平常的姓！”

道信好奇地问：“那是什么姓呢？”

男孩睁大晶亮的眼睛，看着禅师说：“是佛性[1]！”

这一说更是让道信觉得这孩子与众不同，笑着应他：“你没有姓吗？”

男孩子认真地又回了一句：“我的本性本来就一片空旷清澈，要什么姓呢？我是无姓儿。”

[1] **佛性**：佛性是众生本都具有的本性，佛教认为众生皆有佛性，只是被烦恼、执着等遮蔽了。

道信立刻明白了这个孩子根器绝佳，是佛陀送到世间来的礼物，日后一定会让禅法更加发扬光大，他心里暗想：“难怪我的眼皮跳了老半天，原来是遇上了我的衣钵传人。”

道信问男孩："你愿意跟我出家吗？"

男孩不假思索地点头同意："我一直想出家学佛呢！只要妈妈同意，我就跟和尚你去。"

男孩的妈妈虽然心中感到不舍，但为了孩子的前途着想，还是答应了。于是，无姓儿欢喜地跟随道信禅师出家了，日后他正是中国禅宗五祖——弘忍❷大师。

❷ **弘忍**：唐朝僧人，为中国禅宗五祖，从四祖道信出家，传法于六祖惠能。

道信有一次到庐山云游，登上山顶举目四望时，看见前方牛头山上有一片阳光返照的紫色云霞，非常美丽壮观。这一回他的眼皮不跳了，但他心里有数：“又有一位奇人了！”

不久，道信禅师的身影便出现在牛头山弯弯曲曲的山路上，他向一位过路僧人打听有没有修行人在此修行。

僧人说：“这整座山就只有我一个僧人，你要找修行人就是我了。”

道信摇头：“对不起，我不是找你，难道真的没有别的修行人了吗？”

僧人拍了一下头，想起来说：“离这里十里外的山上有一块大石头，是有一位修行人在那里打坐，他的法名叫法融，不过他又懒又脏，平常也不怎么理人，就一直呆坐着，大家都叫他‘懒融’，你该不会是找他吧？”

道信眼前一亮，说：“我找的正是他，谢谢你！”

道信话才说完便快步离去了，留下了一脸茫然的僧人：“找懒融还不如找我呢！他那种懒散人除了发呆，还能干什么呢？”

道信禅师跑到山上找到了那块大石头，果然看见一个长发披肩的修行人独自在那里打坐，看也不看他一眼。

道信禅师问他：“你在这里做什么？”

不愿被打扰的法融无奈地回答：“观我的心啊！”

道信又问：“你是谁？心又是什么呢？”

法融答不上来，知道来的是一位高人，赶紧起身向他行礼，说：“您来自何方呢？”

道信回答：“我居无定所，大江南北任意遨游。”

法融又问：“不知您是否认识道信禅师呢？”

道信问："你问他干什么呢？"

法融说："我仰慕道信已久，听说道信禅师的禅风天下第一，真希望有一天能去向他礼敬一番。"

道信禅师立刻表明身份说："我就是道信！"

法融惊讶地跪地叩拜，惭愧地说："请大师原谅我刚才的无礼，没有亲自去见您，还劳烦您跑到这座荒山上来找我，请您在山上住几天，帮我指点迷津吧。"道信禅师只是笑而不答地点了点头，却并不说出此行的真正目的。

法融在山上养了一群老虎为伴，当老虎出现时，道信禅师故意装出害怕的样子，法融问他：“您还会怕老虎啊？”

法融替他赶走老虎，心想：“道信的功力，也不过如此。”

过了两天，道信在法融打坐的石头上写了一大大的“佛”字，法融一看就不敢坐上去继续打坐了，因为怕坐在“佛”字上，对佛不敬。道信禅师哈哈大笑：“你也会怕佛啊？”

法融一听立刻领悟了，他知道道信是要以此来破除他的执着心，便请求道信禅师为他传法，道信禅师这才表明自己的来意：“你个性孤傲，如果我一开始就说要传法给你，你一定不会信服，所以我才测试你一番。”

道信禅师说完，便为法融认真地说法，而得到道信心法的法融，日后也成为了一名大禅师，再度印验了道信禅师的慧眼识人。

是谁绑住你了？

大师密码 Quiet 沉静

中国禅宗史上没有记录下三祖僧璨遇见二祖慧可前的生平故事，所以人们不知道他的出生地，也不知道他出家前的职业与遭遇。但可以确定的是，他在拜见慧可以后，人生从此一百八十度大转弯了。因为中年的僧璨，当他一身病痛前来向慧可大师请法开悟后，从此“无病一身轻”，身心烦恼全部消除了。

虽然他尽得慧可大师的真传，却因身处乱世不能弘法，将才能隐藏起来，默默等待不知何时才能到来的太平盛世。换成是一般人，恐怕要得忧郁症了，但是僧璨却能静心隐居在皖公山，不随乱世波动，寂静到所有人都忘了他。直到十四岁的四祖道信意外来访时，才终于能将所学传给道信，让禅的种子传续下去。他的代表作《信心铭》，迄今仍为人们传诵不绝。

小档案 僧璨

- 国籍：中国
- 别称：赤头璨
- 专长：禅修
- 影响：中国佛教禅宗三祖
- 事迹：在深山静待机缘成熟才弘法

满山的松子在昨夜都掉落了，有一位身穿白衣的中年居士[1]，出现在慧可禅师隐居的寺院中。这位居士看起来很沉静，好像是一棵千年松树，就算在寒流强风中，也能够自然地伸展枝干、不被摧折。

慧可大师眼前一亮，问他："你来找我干什么呢？"

白衣居士缓缓跪在地上，轻声地说："我的身体一直受风疾所苦，只要吹一点儿风，就感觉浑身不适。虽然找了许多名医，但还是医治不好，应该是我的罪业深重，才会得这种奇怪的毛病吧，请求师父为我忏除罪障。"

❶ **居士**：在家修行佛法的人。

慧可大师又问："这情形有多久了？"

居士回答："已经十几年了。"

慧可仍问："很痛苦吗？"

居士点头："是的，发病的时候简直生不如死，但我尽量忍耐，以平常心看待，不让心情受病痛影响。"

慧可大师知道眼前这个人是位可造之才，便说："好啊！我来替你忏罪，现在把你的罪障拿出来吧！"

这么一说，白衣居士倒愣住了，许久才说："我去哪里找我的罪障呢？我找不到它们。"

慧可大师这时大笑说："很好，你的罪障已经被我忏除了，你从此就皈依❷佛法僧三宝，我来为你剃度❸。"

❷ **皈依**：是成为佛教徒的一种仪式，表示依靠佛、法、僧三宝的指导修行。

❸ **剃度**：为剃除须发被度出家的一种仪式。

白衣居士很开心，赶紧拜慧可为师。慧可知道他很有慧根，因此非常器重他，在剃度时，特地跟他说："你是一位法宝人才，以后让禅法发光的人就是你！你的法名就叫'僧璨'吧！"

僧璨出家后，风疾竟不药而愈，可是他的头皮也秃了，当时大家都叫他"赤头璨"，他听见了只笑一笑，并不以为意，静静地随侍在慧可大师身旁，专心地修行禅法。

两年后，同样是松子落尽的时节，慧可大师手上拿着代表传承的衣钵，把它交给僧璨说："徒儿啊！当初达摩[4]祖师将禅宗的衣钵从印度带到中国，付托给我。今天我将这衣钵也传给你，你可要尽力守护，不要让宝贵的禅法失传了！"

[4] **达摩**：印度人，为中国禅宗始祖。于梁武帝时来到中国，因与梁武帝话不投机，在嵩山少林寺面壁坐禅，后传法给慧可。

僧璨接过衣钵，难以置信地看着慧可大师，慧可拍了拍他的肩膀表示肯定，接着说：“你接受我的教法后，应该往深山去，暂时不要弘化度人。因为我们的国家恐怕会发生灾难，你要躲在山里，等待时机成熟，不要被乱世所波及，幸好你个性沉静自如，能够耐得住寂寞，适合隐居山中修行。”

僧璨疑惑地又问：“难道您不跟我去吗？”

慧可大师摇了摇头：“将这禅宗大业交给你后，我就放心地去偿还我的宿业了，你要好自为之，记得，要等天下太平后，再出来传法。”

果然一切如慧可大师所料，北周武帝下令废除佛、道二教，派人到处烧毁寺院、佛塔、佛像和经书，命僧人和道士统统要还俗。这场法难随着北周消灭北齐，也延烧到整个北方各地，四周都是战争，老百姓没有宗教可以依靠，更加惶惶不安了。

僧璨听从了师父的指示，在皖公山和司空山之间的云深水泽处，居无定所地隐居静修，内心一点儿也不慌乱。不管是空山新雨，或是冷冽霜冻，他都怡然自得，每天专注静坐，饿了就去挖一些野菜吃。许多野兽看到他，都自动地退到一旁，不敢打扰他的修行，有些小动物则会在他的周围趴下休息，感受跟他在一起时的那一份静谧幸福。

十几年过去了，改朝又换代，天下终于太平了。世间的人们还不知道深山里潜居着一位伟大的禅师，直到隋朝初期，才渐渐传出消息：“皖公山住着一位特别的修行人，很有智慧，见过他的人内心都充满着平静的喜悦。”

消息传到十四岁沙弥道信的耳朵里。有一天，他一个人走了七天七夜，把整座皖公山都走遍了，这时正赶上僧璨大师正从司空山回来，两人终于在一座开满繁花的草原山谷中见面了。

道信跪在地上，对僧璨大师说：“请大师慈悲，教导我解脱的方法。”

僧璨大师和蔼地笑着问：“孩子，告诉我，究竟是谁绑住了你，让你无法解脱呢？”

道信露出天真的眼神，想了想，说：“报告大师，并没有人绑住我。”

僧璨又笑着说：“既然没有人绑住你，那你何必寻找解脱的方法呢？”

僧璨说完，摸了摸道信的头，一股沉静的力量传入道信的心中，道信恍然明白了，原来让自己一直无法安心的原来是自己，而不是外在的一切，如果自己的心够沉静，面对种种的遭遇和变化，就能够泰然处之了。

道信笑着问："师父的意思是我自己的心束缚了我自己，只要把心打开，也就解脱了，对不对？"

僧璨大师点点头："用一种平常的心怀，对待所有的事物，不论遇到任何事，先不要有好坏之分，譬如今天出太阳就是好事，明天下大雨就是坏事，生命中发生任何事都有它的意义，你只要平静地接受，就会得到天赐的祝福。"

道信开心地说："师父谢谢您，我明白了！"面对这个可爱的沙弥，僧璨大师也明白，是到了该对外宣扬禅法的时候了！

道信跟随僧璨大师九年，经过多次的试验，他确定了道信已经达到禅法的最高境界，便将衣钵传给他，随后，便带领弟子退隐到更远的罗浮山，随机教化。两年后，僧璨才回到皖公山，重修山谷寺，大力推广禅法。

有一天，僧璨大师结束说法后，独自走到屋外的一棵大松树下，双手合掌沉静地过世了。等到弟子们发现时，僧璨大师已经洒脱地离去了，只留下了一篇著名的《信心铭》文章，成为中国禅宗最重要的心法。

一个字也不能错

大师密码 Quality 品质

七岁就随母亲一起出家的鸠摩罗什，恐怕是当时全世界年纪最小的留学生了。他从小随母亲参访各国，学习佛法与各国语言，见闻广博，难怪长大后能成为一代大译经师。

鸠摩罗什的母亲耆婆原本贵为龟兹国的公主，父亲鸠摩罗炎是印度贵族，但耆婆决心远离富贵，便带着鸠摩罗什在黄沙滚滚的西域，展开了一段漫长的求法岁月。鸠摩罗什成年后，以博学名扬西域，谁知前秦王苻坚派吕光来接他，不料吕光竟自立新国家后凉，将鸠摩罗什拘留于此，这一留就是十几年，直到后秦姚兴消灭了吕光，他才重新获得自由。

鸠摩罗什面对坎坷的命运，从无怨言，将生命全部投入到译经事业中，一生译出佛经三百多部，门下弟子多达三千人，以僧叡、僧肇、道生、道融四人最为有名，他们四人被称为“什门四杰”。

小档案 鸠摩罗什

- 国籍：龟兹
- 别称：中国四大译经家之一
- 专长：译经
- 影响：培养出许多优秀的译经家
- 事迹：译经品质一流，深得帝王赞赏

马车发出嘎吱嘎吱的声响，富有节奏地载着受邀去中国的大翻译家——鸠摩罗什，一路从大漠往长安前进着。望着连绵不绝的黄沙风景，这位中国的“贵宾”心想:“这一趟到中国弘法的路程好漫长，几十年竟然就这样过去了！”

那一年，二十岁的鸠摩罗什早已从每天能诵读一千佛偈的神童，转变成博学多闻的高僧。

他的母亲在出家后，多年来带着他游历了西域各国，参拜了无数名师，长年的努力，终于看到了开花结果的这一天！

于是，他的母亲——这位笃信佛法的龟兹国公主，对着从小也跟她一起出家的孩子说："罗什，你的佛学造诣没有人可以超越了，你应该去中国弘法，但是你去中国对你本身却没什么好处。"

罗什回答："如果能让大乘佛教 ❶ 传入中国，再苦我也愿意接受！"

母亲欣然点头，觉得可以放手了，便放心地只身去了天竺。罗什后来却阴错阳差地被前秦王苻坚派来迎请自己的使节吕光给掳到凉州，这时发生了淝水之战，使得前秦王朝摇摇欲坠，结果吕光在凉州自立后凉国，就把罗什留下了。

❶ **大乘佛教**：大乘佛法以救度众生为目的，不以自得解脱为目的，就像是容量大的交通工具般乘载众人。

鸠摩罗什在驻留期间，无法施展弘法抱负的罗什，不时勉励自己：“命运之所以会安排我待在这里，就是要我好好学习中文，并了解中国的译经情况，以便让我将来的中文译经质量更加理想。”

果然，一切如罗什所料，中国北方形势再度发生变化，后秦姚兴掌控了整个局势，他派兵前来消灭后凉，还特地恭迎罗什到中国弘法。罗什从马车窗户里看到一片繁华的街市，知道他终于来到梦寐以求的长安了。

皇家逍遥园异常静谧，所有人都不敢吭声，皇帝姚兴更是一脸严肃的期盼神情，直到来人大喊：“鸠摩罗什到！”众人这才放下心来并面露喜色。

这时，一位气度不凡的高大僧人踏进大殿，身上竟然没带一本献给皇帝的佛经。姚兴一边欢迎罗什，一边疑惑地想："罗什既然答应来中国译经，应该会带上一箱箱宝贵的大乘经典才对，怎么两手空空的呢？"

罗什看出了姚兴的疑虑，顺口诵出一部佛经的内容，姚兴一听，大感兴奋地称赞："大师的博学果然名不虚传，所有读过的经典原来都藏在您的脑子里，我真是失敬了！"

罗什谦虚地说：“哪里！藏在我脑子的经典，只是译经大业的一小部分，我已经另外请人从西域搜集更多的梵文佛经，应该很快就会送来的。而且光靠我一人的力量也是不行的，我们一定要集合中国的优秀僧人，组成一支阵容强大的译经团队，才能让译经质量得到更好的保证。”

听完，姚兴更加佩服鸠摩罗什了，连忙答应：“好！我们就来组成一个译经团队，展开我们的译经大业。”

在鸠摩罗什的号召下，没多久，就有八百多名中国一流的僧人，如：僧叡、僧肇、道生等，前来加入译经队伍，他们个个具有佛学上的才华和领悟力，聚在逍遥园的佛殿里，拿出纸笔，有的抄写，有的校对，有的缀文……，最后再交给鸠摩罗什定案。

整个译经场面，既盛大又热烈，而大殿前巨佛下的两个莲花宝座，则分别坐着皇帝姚兴和鸠摩罗什，姚兴对译经也很感兴趣，常常拿着旧译本和罗什所拿的原书，进行核对参照。

姚兴叹了一口气说："大师，如果不是您亲自来译经，这些牛头不对马嘴、翻译质量不佳的旧译本，就没有更正的机会了。您的新译本不但语意准确，而且文辞流畅，真令人爱不释手，没想到您的中文能力这么好。"

गज
सिंह
बाल

罗什恭敬地回答:“其实我在凉州每天勤奋研读中文，就是为了今天的译经工作。而且我发现，梵文无法一句句直接译成中文，要了解它的内容后，才能再转换成中文的语意，如果勉强硬生生译出来，就会枯燥无味，失去原味。”

姚兴点头表示赞同，放眼整个译经场地，每一位僧人都兢兢业业地工作，这是因为鸠摩罗什对质量的坚持和领导有方，想到后代学佛的人也将因此而受惠，姚兴不禁泛起满意的笑容。

“师父，庐山慧远法师托人送来一部经典，里头还有一封信。”这一天，僧略接到慧远法师的弟子刚从西域返回，特地送来的佛经，赶紧把它交给鸠摩罗什。

慧远常常来信请教一些佛经上的问题，罗什都会一一回信详加解释。他打开慧远的信，上面写着：“这部《十住经》是我请弟子专门去西域带回来请鸠师翻译的，期待早日见到鸠师的精彩译作。”

罗什放下信，翻了翻《十住经》的内容，脸上满是严肃，僧略好奇地问：“师父，有什么问题吗？”

罗什回答：“慧远请我译的这部经，如果按照字面意思去译是很简单的，可是里头有一些义理，我还要仔细研究一下。”

罗什对于翻译一向要求严谨，没有完全弄懂时，哪怕只是一个字不明白，他也不会轻易下笔的。这部《十住经》就这么被他放了一个多月，还没有着手翻译，这时他的老师佛陀耶舍也来中国弘法，两人相见甚欢。

罗什拿出《十住经》向耶舍请教，耶舍先前曾读过这部经典，罗什便提出他的疑问。两人经过一番详细讨论，最后，罗什开心地说：“现在我可以放心翻译了！”

耶舍赞美罗什的用心："其实你根本不必问我，你原本就译对了。"

罗什摇摇头，回说："哪里，要不是师父的肯定，我根本就没把握！"

耶舍笑着说："你忘了，你从小就对质量很坚持！"说完，两人哈哈大笑起来。

罗什不仅是注重质量的大翻译家，也是将大乘佛教经典传入中国的导师，他结合讲经的方式，培养了大批的优秀弟子，推动了中国佛教后来的发展。

不怕鬼的石头

大师密码

Quick-witted 机敏

禅门最容易滑跤的地方，大概是在石头希迁面前吧！因为石头希迁机敏过人，很多人都向他较量过禅法，但往往才一开口，就被他不按常理出牌，惊得滑倒在地，也说不出话来了，所以说“石头路滑”，遇到石头要当心！

石头希迁生于中国广东，自幼常以他的智慧与勇气，破解乡民的鬼神迷信。当禅宗六祖惠能看到少年希迁如此聪明慧黠时，就收他为徒。不料，来年惠能大师就去世了，因此希迁另拜师兄青原行思为师。希迁得到行思的真传后，因在南岳石台上结庐坐禅，世称“石头和尚”。当时中国的禅宗，湖南以石头希迁为主，江西以马祖道一为主，两人并称为“江湖二甘露”，共同带动禅风的发扬。希迁以九十一岁的高龄辞世，传下了名作《参同契》、《草庵歌》。

小档案 石头希迁

- 国籍：中国
- 别称：石头和尚、无际大师
- 专长：禅修
- 影响：让中唐禅宗南宗大为兴盛
- 事迹：禅思机敏，被惠能与青原行思收为徒

“鬼又出现了！我昨天晚上看到鬼影在大榕树上飘来飘去，真是吓死人了！”

唐朝时，在广东的乡下一直有闹鬼的传闻，把居民吓得不知所措，生活因此不得安宁。这一天，一名村民脸色苍白地跑到神祠里，跟大家诉说着昨晚恐怖的经历。

“看来又得举办一场祭祀了，各位，你们去准备一头公牛和酒菜，我们明天就在榕树前杀牛祭酒，敬拜鬼神。”

管神祠的庙祝一一吩咐大家该准备什么物品，而那头祭神的公牛，就由见鬼的农人负责，谁叫他触犯鬼神呢！

农夫无奈地离开了神祠，这时，有人喊住他：“大叔！你脸色怎么这么难看啊！”

原来是村里的少年希迁，农夫便一五一十地把自己遇鬼的事情告诉了希迁：“真倒霉！让我撞到鬼。我就只有这头公牛而已，杀了它，谁替我耕田啊！”

希迁对于村里宰杀牛只祭祀鬼神的行为，本来就十分不齿，听这个大叔这么说，灵机一动地说：“没关系！你明天就把牛牵到榕树前，我自有办法解救你的牛。”

农夫半信半疑地回家去了，希迁则跑到大榕树下蹲了一晚，不久没事人似的躺在地上睡起觉来。

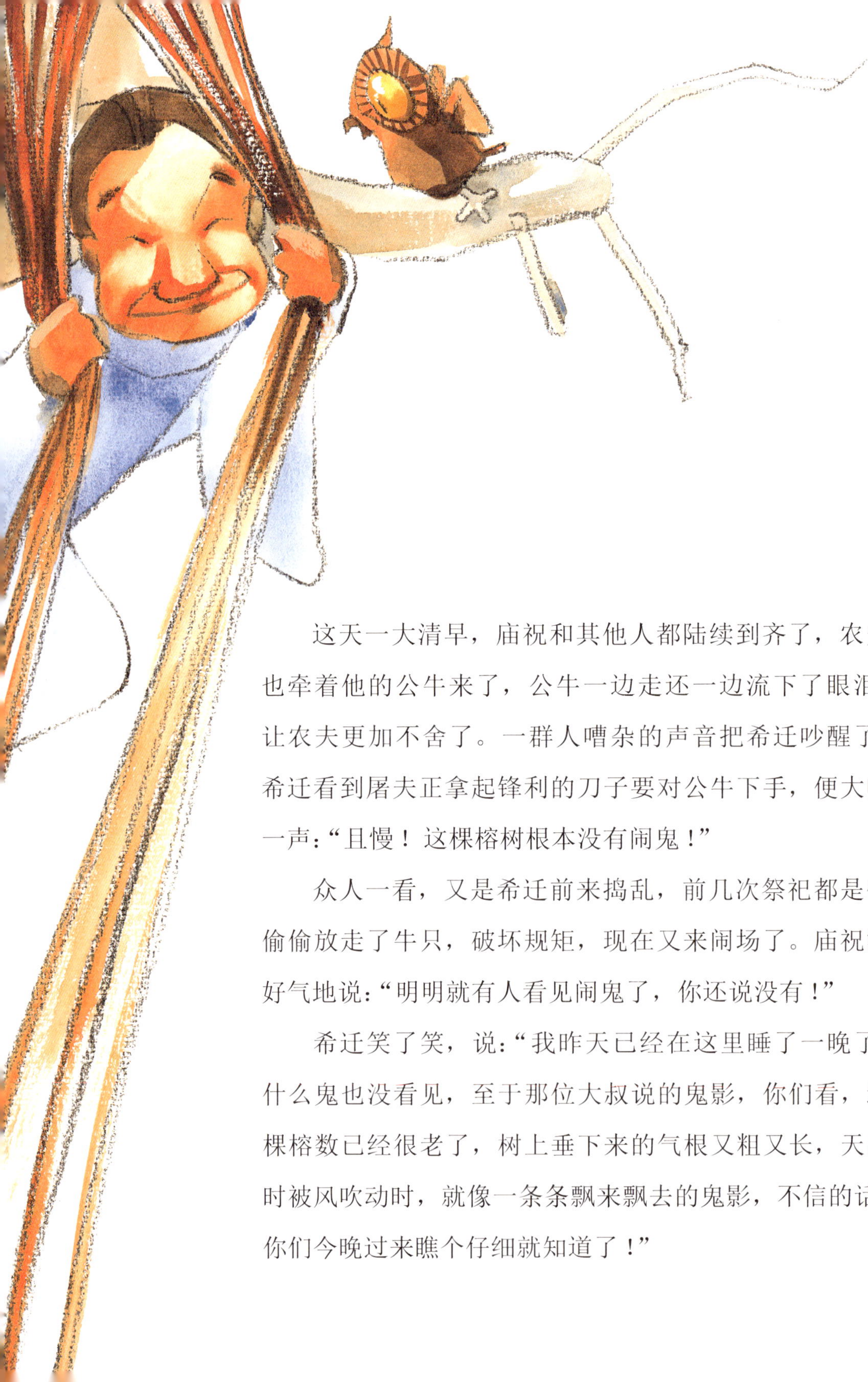

这天一大清早，庙祝和其他人都陆续到齐了，农夫也牵着他的公牛来了，公牛一边走还一边流下了眼泪，让农夫更加不舍了。一群人嘈杂的声音把希迁吵醒了，希迁看到屠夫正拿起锋利的刀子要对公牛下手，便大喊一声：“且慢！这棵榕树根本没有闹鬼！”

众人一看，又是希迁前来捣乱，前几次祭祀都是他偷偷放走了牛只，破坏规矩，现在又来闹场了。庙祝没好气地说：“明明就有人看见闹鬼了，你还说没有！”

希迁笑了笑，说：“我昨天已经在这里睡了一晚了，什么鬼也没看见，至于那位大叔说的鬼影，你们看，这棵榕数已经很老了，树上垂下来的气根又粗又长，天黑时被风吹动时，就像一条条飘来飘去的鬼影，不信的话，你们今晚过来瞧个仔细就知道了！”

见此情形，庙祝也无话可说，只好暂时取消了祭祀活动。夜里他带着乡民们，尾随着希迁和农夫一起到大榕树前查看究竟，只见农夫大喊说：“鬼影在那儿！”

希迁立刻走到鬼影下方，指着上头说：“你们再来看看，这是鬼影还是气根呢？”

庙祝抬头一看，果然希迁说得没错，是气根被风吹动所造成的幻影。庙祝挥挥手说：“走吧！走吧！回家睡觉去！”

希迁以他的机智和勇敢，不仅破除了迷信，也使牛儿免遭被屠杀的厄运。后来他听说惠能大师在曹溪传法，便跑去向他学禅，很得惠能的赏识。只可惜过没多久惠能大师就过世了，临终前，希迁问他：“师父，您走了以后，我该怎么办呢？”

惠能回了一句：“寻思去！”

惠能大师走后，希迁开始天天打坐参禅，老首座看了很奇怪，问他："你干吗一天到晚打坐呢？"

希迁回答："因为师父要我'寻思去'，所以，我就坐在这里思索佛法真义。"

老首座大笑说："你知不知道你有个师兄叫行思，正在青原山修行？"希迁摇头。

老首座又说："你师父的意思是要你去找他，不是叫你坐在这里空想。"

希迁恍然大悟："哦！是这样子。"

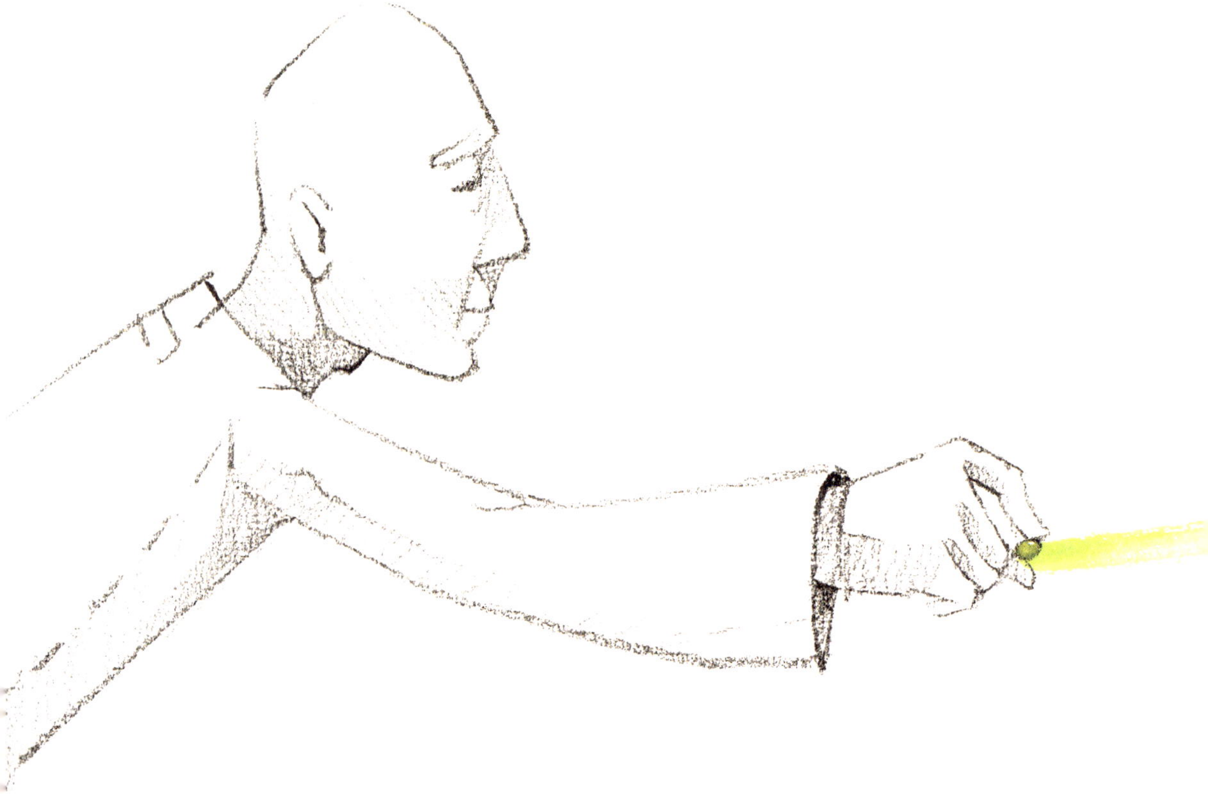

来到青原山后，希迁看见一位宛如白鹤般飘逸的禅师，此人正是行思。行思一看这位长相很有灵气而充满自信的沙弥，心里也被触动了一下，便问他："你从哪里来？"

希迁率直地回答："我从曹溪惠能师父那里来的。"

行思又问："既然是从师父那里来，那你得到了什么呢？"

希迁知道行思是在测试他，说："要得到什么呢？我没到曹溪以前，也没失去什么啊！"意思是：每一个人本来就具有佛性，没有所谓的得失之分。

行思一听，知道这小师弟机敏过人，接着反问：“既然没有失去什么，那你何必去曹溪呢？”

希迁脑筋一转，又说：“如果我没去曹溪的话，怎么知道我本来就没有失去呢？”

行思点头称赞他：“角要那么多干什么？当老师的能教到你这样的学生，一只麟角就足够了！”

于是，行思决定收他为徒。

希迁得到行思的真传后，在南岳石台上结庐独居二十三年，人们都叫他“石头和尚”。后来他到湖南大兴禅风，和在江西的马祖道一[1]成为当时最著名的两个禅宗宗派。

不同于马祖不受拘束的活泼明快教法，希迁比较像是个哲学家，以理论思辨的方法，引导人层层思索生命的真理，因此被称为是“学者禅”。

❶ **马祖道一**：唐代禅僧，师承怀让禅师。四川广汉人，俗姓马，名道一，世称马大师、马祖。

有一天，马祖的弟子邓隐峰来向他辞行，说是要到石头和尚那里参学，马祖特地提醒他说：“石头路滑，你要小心。”

邓隐峰不以为意，自负地说：“我随身带着木棒，不怕他来考我！”

结果他到石头那里，在他的禅床绕了一圈，用木棒击地一声，问：“什么是佛法大意？”

石头并不理他，忽然抬头对外面的天空说：“老天哪！老天哪！”

邓隐峰不知该如何应对，只好跑回去跟马祖求救，马祖教他一个妙招：“这样好了！你再去找他时，不管他说什么，你都对他嘘嘘两声！”

邓隐峰点点头，心想师父这一招一定管用，石头再叫天喊地的话，就给他嘘下去。他兴冲冲地又跑去石头和尚的禅院，又问他：“什么是佛法大意？”

没想到石头看着他，笑得很诡异，然后朝他嘘嘘两声，这招数竟被石头用去了，这下邓隐峰只能傻站在原地，一句话也说不出来，就又跑回马祖那里，马祖早知道会有这种结局，对他说：“我不是跟你说过了吗？石头路滑！你就是不信。”

虽然彼此你来我往地较劲，石头和马祖两人之间却一点儿都没有嫌隙，反而共同推动了禅风的发扬，一起帮助弟子们悟道，被尊为“江湖二甘露”。而每一位接受过石头和尚指点的弟子，都领教过他单刀直入的利落机锋，进而开悟。